Para Pablo y Javier,
por enseñarme a ser un niño otra vez.

Título original: *You and Me, Me and You,*
publicado por primera vez en Estados Unidos
por Chronicle Books LLC, San Francisco, California
Texto e ilustraciones: © Miguel Tanco, 2016
Diseño: Kristine Brogno

© Grupo Editorial Bruño, S. L., 2016
Juan Ignacio Luca de Tena, 15; 28027 Madrid
Dirección Editorial: Isabel Carril
Coordinación Editorial: Begoña Lozano
Traducción: Virtudes Tardón
Edición: Cristina González
Preimpresión: Equipo Bruño

ISBN: 978-84-696-0653-7
D. legal: M-23271-2016
Reservados todos los derechos
Fabricado en China

www.brunolibros.es

Tú
y
yo,
yo
y
tú

Miguel Tanco

 Bruño

Te hago las preguntas más difíciles...

... y también te mantengo en forma.

Te enseño a hacer amigos...

... y a fijarte en las pequeñas cosas conmigo.

Te llevo a sitios donde nunca has estado...

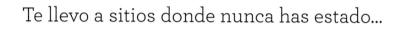

... y a mojarme contigo bajo la lluvia.

Te enseño a jugar...

... y a perdonar.

Te recuerdo cómo ser creativo...

... y cómo hacer cosas que habías olvidado.

Te doy la oportunidad para contar cuentos...

... y te ayudo a no perder los nervios.

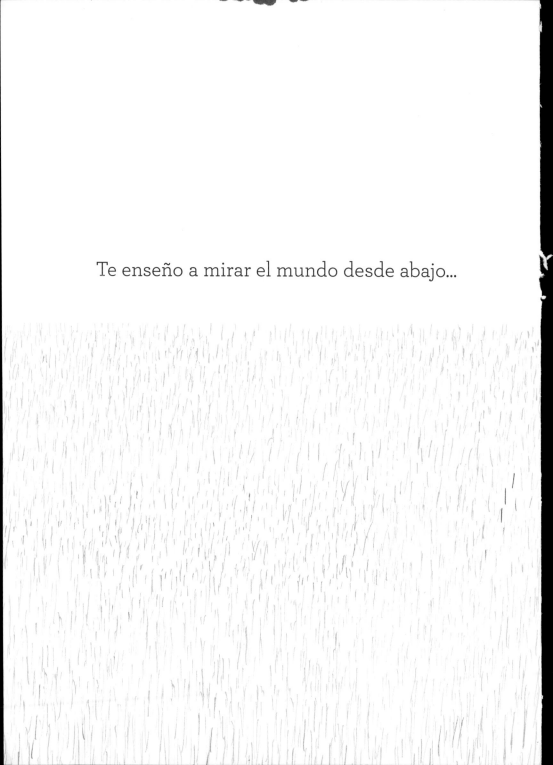

Te enseño a mirar el mundo desde abajo...

... y, aunque yo soy pequeño y tú mayor,
¡crecemos juntos día a día!